D0714136

NOM DE DOMAINE

DU MÊME AUTEUR

Le bain des raines, Dramaturges Éditeurs, 1996.

Les trains ou J'entends grincer le vent sur les échangeurs d'air, inédit, 1998.

Autodafé, bûcher historique en cinq actes, Dramaturges Éditeurs, 1999.

Le soldat de bois, conte réaliste, inédit, 1999.

Léa-Pu deSonlaté, inédit, 2002.

Jocelyne est en dépression, tragédie météorologique, Dramaturges Éditeurs, 2002.

Beauté intérieure suivi de *Chien savant* et de *Two thousand mile end*, Dramaturges Éditeurs, 2003.

Bienvenue à (une ville dont vous êtes le touriste), inédit, 2005.

Venise-en-Québec, épopée touristique, Dramaturges Éditeurs, 2006.

Ascension, pèlerinage sonore pour le mont Royal, inédit, 2006.

Félicité, Dramaturges Éditeurs, 2007.

Vers solitaire (OUT), inédit, 2008.

Marche sur ma tombe, inédit, 2008.

ParadiXXX, inédit, 2009.

Chante avec moi, inédit, 2010.

Projet blanc, inédit, 2011.

OLIVIER CHOINIÈRE

NOM DE DOMAINE

théâtre

LEMÉAC

Ouvrage publié sous la direction de
Diane Pavlovic

Photographie de couverture : © David Ayotte

Leméac Éditeur reconnaît l'aide financière du gouvernement du Canada par l'entremise du Fonds du livre du Canada pour ses activités d'édition et remercie le Conseil des arts du Canada, la Société de développement des entreprises culturelles du Québec (SODEC) et le Programme de crédit d'impôt pour l'édition de livres du Québec (Gestion SODEC) du soutien accordé à son programme de publication.

ISBN 978-2-7609-0422-4

© Copyright Ottawa 2012 par Leméac Éditeur
4609, rue d'Iberville, 1ᵉʳ étage, Montréal (Québec) H2H 2L9
Dépôt légal – Bibliothèque et Archives nationales du Québec, 2012

Imprimé au Canada

« Ces gens sont d'une race qui ne sait pas mourir. »

Louis Hémon, *Maria Chapdelaine*

CRÉATION ET DISTRIBUTION

Cette pièce a été créée au Théâtre de Quat'Sous,
à Montréal, le 16 octobre 2012,
dans une mise en scène de l'auteur.

H45 : Stéphane Jacques
F43 : Dominique Leduc
H16 : Jean-François Pronovost
F8 / la petite fille : Aurélia Arandi-Longpré
ou Alexandra Sicard

Assistance à la mise en scène et régie : Jean Gaudreau
Scénographie : Jean Bard
Costumes : Elen Ewing
Lumières : Martin Sirois
Conception sonore : Eric Forget

PERSONNAGES

H45
Homme mi-quarantaine.

F43
Femme au début de la quarantaine.

H16
Adolescent d'environ seize ans.

F8
Voix d'une petite fille d'environ huit ans.

Une petite fille d'environ huit ans.

LIEU
Le plateau, c'est-à-dire le *domaine*.

NOTES
/ Le trait oblique désigne le début de la prochaine réplique.

– Le tiret désigne un geste exprimant une pensée, une ellipse, une hésitation, une censure.

. Une phrase sans point indique que la réplique suivante s'enchaînera sans pause.

À l'entrée du public, une petite fille d'environ huit ans erre dans la salle. Elle court dans les allées, prend les spectateurs par la main, s'assoit sur leurs genoux, mais ne leur parle pas. Elle disparaît peu avant l'entrée de H45, F43 et H16.

1.

H45, F43 et H16 entrent. Ils sourient. Ils s'adressent directement au public.

F43. Oui – tu – souris. Ton mari sourit

H45. Tu souris pas. Tu regardes le monde

F43. Tes enfants sourient – ton fils sourit

H16. Tu souris pas. Tu montres les dents

F43. Ta fille sourit, même qu'elle –. Tu regardes le sourire qu'elle fait, sur la photo – la photo de l'entrée de la maison

H45. Dans l'ascenseur – tu regardes le monde

H16. À l'école, n'importe quel cave que tu croises – un élève, un concierge, un prof – tu le pines avec un gros *smile*

F43. Même si c'est mis en scène, je veux dire que c'est un sourire commandé par un photographe, c'est un sourire franc – sincère

H45. Si jamais tu souris, c'est malgré toi

F43. Tu prends la photo de l'entrée, tu la décroches du mur. Tu regardes le sourire de Jean-Pierre – de proche

H45. Tu regardes pas le monde, tu déshabilles le monde des yeux. Ou c'est plutôt le monde qui se déshabille – sous tes yeux – malgré toi. Hier, Nathalie t'a dit : « Qu'est-ce que t'as à me regarder comme ça ? » Difficile de répondre : « Désolé, chérie, mais j'ai depuis quelque temps la faculté de voir à travers les vêtements »

F43. Tu regardes le sourire de Maxime, de très près – tu peux voir le grain de la photo

H16. Au bout du corridor : madame Présence. Tu lui fais un beau gros sourire de marde. Tu lui dis même : « Belle journée ! »

F43. Sur la photo y a douze ans – bientôt treize

H16. Tu dis jamais « Belle journée ! » à madame Présence. Madame Présence existe pas pour toi

F43. Âge ingrat, mais encore innocent

H16. C'est juste une vieille crisse qui pue

F43. Aujourd'hui, quand il sourit – si jamais il sourit

H16. « Belle journée ! » Comme si tu t'en allais traire les vaches ou quelque chose comme ça

F43. C'est pus un sourire, c'est une grimace

H45. Par exemple, dans l'ascenseur : tu peux voir la jeune femme qui se trouve tout juste devant toi. Tu peux voir ses seins, son ventre, sa chatte. Pour un court instant son regard croise le tien et elle te sourit. Parce qu'elle sait pas que tu la vois – entièrement nue

F43. Tu remets la photo au mur

H45. À quoi le monde pense?

F43. Tu regardes le sourire de ton mari, celui de ton fils, de ta fille – le même sourire

H16. T'arrêtes de sourire. Au bout du corridor, tu vois Samuel et Jérémie Laberge, le nez dans leurs casiers – prêts à se faire kicker dedans. Tu t'approches des jumeaux

H45. L'ascenseur s'arrête. Le corps de la jeune femme tangue légèrement vers toi

H16. Place-toi juste derrière les jumeaux

H45. Tu peux sentir son parfum

H16. Dis rien. Attends qu'ils te voient

H45. Tu peux voir la chair de poule courir sur sa peau. Tu la prends par les cheveux. Elle se met à genoux, ouvre ta braguette et prend ta queue dans sa bouche

F43. Tu peux t'imaginer toutes sortes de choses, mais pas ça. Prends les clés de la voiture – elles sont dans le petit panier. Le panier est juste en dessous de la photo, sur la table de l'entrée. Mets ton manteau – ouvre la porte. Va travailler

H45. Les portes de l'ascenseur s'ouvrent. Tu te glisses dans la foule indifférente du douzième étage – en refermant ta braguette

F43. Barre la porte de la maison, descends les marches – marche vers la voiture. Il peut pas avoir fait ça

H16. Là, si les jumeaux Laberge t'ont pas encore vu, tu peux faire un petit «coucou» – genre émission pour enfants

F43. C'est encore juste un petit gars

2.

H45. Tu marches vers la porte du bureau, tu sors tes clés

H16. Les Laberge font pas le saut, ils freezeframent

F43. Un petit gars qui y a pas si longtemps jouait à police-bandit

H16. Normal : les Laberge sont surpris de te voir

H45. Tu sors tes clés, mais la porte du bureau est déjà débarrée, le système d'alarme désarmé. Quelqu'un est entré

H16. Les Laberge pis toi, vous vous parlez jamais

H45. C'est la réceptionniste – elle vient tout juste d'arriver

F43. Débarre la voiture. Ouvre la portière

H45. La réceptionniste se retourne pas, elle t'a pas entendu entrer. Elle range son bureau – penchée – presque couchée dessus

H16. Même si c'est toi qui les as initiés.

F43. Attends – entre pas dans la voiture

H45. Tu t'approches de la réceptionniste

F43. Referme la portière

H16. « Où est-ce que vous étiez passés, les gars ? Moman était inquiète. » Alors qu'on se crisse des Laberge, tu comprends ?

F43. Referme la portière

H45. T'es tout juste derrière la réceptionniste

F43. TU REFERMES LA PORTIÈRE – FORT. Comment on a pu en arriver là ?

H16. Laberge 1 fixe le plancher. Laberge 2 te regarde : « On peut pus jouer »

F43. Referme la portière de la voiture. Tu vas pas travailler, non. Rebarre la voiture, remonte les marches, reviens à la maison

H16. Ça t'énerve le monde qui change tout le temps d'idée

H45. La réceptionniste se relève – en souriant. « Est-ce que je peux faire quelque chose pour vous, Jean-Pierre ? » On connaît ce sourire-là

H16. À fesser dedans

H45. Le sourire de pitié – non : de compassion

H16. « Les gars, je vous avais prévenus : c'est pas un jeu »

H45. Insupportable

H16. La cloche sonne. Les Laberge se dématérialisent, aspirés par une porte – de classe – genre le premier cours du matin ?

H45. La réceptionniste te regarde. Elle attend une réponse – en souriant

H16. Parce qu'y en a qui vont à l'école le vendredi matin ?

H45. Tu dis à la réceptionniste : « Merci, Madeleine. J'ai un rapport à remplir, j'aimerais ne pas être dérangé »

H16. Parce que « l'éducation, c'est important » ?

F43. Entre dans la maison. Ferme la porte. Vise le petit panier sur la table de l'entrée – jette les clés

H45. Et tu prends la réceptionniste par-derrière en lui plaquant le visage dans son agenda

F43. Les clés passent devant la photo de la famille Sourire

H45. Tes doigts de chaque côté de sa bouche, comme des crochets

F43. Les clés tombent dans le petit panier

H45. Alors son sourire, c'est plus un sourire. C'est une grimace

F43. Entre dans la cuisine

H16. Sors du pavillon. L'école, c'est pas pour tout le monde. Y en a qui doivent aller travailler

F43. Tu figes devant le micro-ondes, tu regardes l'heure : huit heures trente-quatre AM

H45. La réceptionniste te confirme que t'as pas de rendez-vous. Elle te confirme surtout qu'elle se doute de rien

H16. Coupe par le terrain de soc. « FAIS CE QUE DOIS »

F43. Qu'est-ce que t'attends ?

H45. Comment la réceptionniste pourrait se douter de quelque chose ? Tu peux pas être ce genre d'homme là

H16. Dommage – les Laberge, c'étaient des bons employés

H45. La souffrance te met au-dessus de tout soupçon

F43. Monte à l'étage – en courant

H45. À quoi le monde pense ?

H16. Des employés que t'avais formés, mais – *fuck it*

F43. T'entres dans la salle de bain, t'ouvres le robinet

H45. Nathalie, elle, elle sait ce qui se passe dans ta tête

H16. Y a du monde qui demande juste ça, travailler

F43. T'évites ton regard dans le miroir

H45. Par exemple, chaque fois que tu t'approches de Nathalie, elle change de pièce

F43. Insupportable

H45. Même si à la base ton but c'était pas de la toucher, mais juste de prendre – je sais pas moi – un verre d'eau

F43. Qu'est-ce que t'as peur de découvrir ?

H45. Ta femme te fuit, pas parce que tu la dégoûtes – je veux dire : physiquement

F43. Ça peut-tu être si pire que ça ?

H16. Dans le parc : tu marches dans des pigeons qui volent dans face d'une vieille

H45. Si Nathalie évite tout contact physique, c'est parce que t'as été le messager – du malheur

H16. Pique à travers les buissons – sors du parc

H45. Il faut la comprendre

H16. Là tu vas te ramasser sur ta rue, mais prends-la pas, continue – passe ta rue – pour prendre quelle rue ?

H45. Comme elle s'efforce de te comprendre toi

F43. Comment ça se fait que t'as rien vu ?

H16. Exact, tu prends la rue en arrière de chez vous

H45. Elle a vu ton compte de carte de crédit

H16. Tu passes par le voisin – passe à travers sa haie

H45. Elle a rien dit

H16. Tu débarques dans la cour arrière de ta maison. Parce que tu veux pas être vu devant chez vous alors que tout le monde pense que t'es à l'école

H45. C'est sa manière à elle de dire qu'elle comprend

H16. Regarde – les fenêtres à l'étage : les rideaux de la chambre sont ouverts. *Good.* Ça veut dire que LA FOLLE EST SORTIE

H45. C'est sa manière à elle de dire qu'elle accepte

F43. Ferme le robinet. Sors de la salle de bain. Descends. Va l'attendre en bas, dans le salon

H16. Attention. Des fois, la folle reste collée à la maison – en congé de maladie – T'EMPÊCHE DE FAIRE TON DEVOIR

H45. C'est très difficile pour Nathalie de – d'entrer en contact

F43. Quand il va rentrer du collège, tu vas lui parler

H45. Alors pourquoi tu lui imposerais tes besoins ?

H16. Colle-toi la face dans la fenêtre du salon – regarde

H45. Elle a juste besoin qu'on la laisse tranquille

F43. Marche vers l'escalier, passe devant la chambre de

F8. Maman ?

H45 et H16 se bouchent les oreilles.

F43. Lève-toi, ma chérie. On va être en retard à

H45 et H16 écoutent de nouveau.

F43. Descends pas

H16. C'est bon, y a personne

H45. Parce que le cul, tu peux vraiment le trouver ailleurs

F43. Reviens sur tes pas

H16. Ouvre la porte patio – super lentement

H45. Du cul comme tu l'avais jamais imaginé avant

F43. Entre dans ta chambre. Va à la fenêtre

H45. Du cul sous toutes ses formes

F43. Dans la cour – fixe un jouet dans l'herbe

H45. De l'énergie sexuelle à l'état pur

H16. Ferme la porte patio

H45. Quelque chose qui te fait sentir vivant

H16. Traverse le salon

H45. Enlève ton manteau

F43. Tu tends l'oreille

H16. T'as enlevé tes souliers, au cas. Au deuxième : pas un son

F43. Pourquoi t'hésites ?

H45. Va t'asseoir à ton bureau

H16. Là tu peux descendre au sous-sol

H45. Y a sûrement rien là

F43. Ferme les rideaux – tire fort – des grands coups

17

H16. Salle de lavage – congélateur horizontal – *Drumstick*

H45. Au pire, ça prouve que Maxime est encore en vie

H16. Ta chambre – la porte. Tranquille

F43. Tu vas en avoir le cœur net

3.

F43. Tu le branches. Tu l'ouvres

H45. Tu l'allumes

H16. Il dort. Tu le réveilles

F43. C'est long

H45. Tu penses à la première fois que t'es allé sur des sites : la nervosité, la culpabilité – l'excitation

F43. La connexion de la maison est super lente

H16. C'est haute vitesse

H45. Aujourd'hui, c'est comme – se faire un café ?

F43. Dans ta boîte de réception, tu vas vérifier l'adresse qu'elle t'a envoyée

H16. Tu cliques sur le lien

H45. On insiste beaucoup sur les effets négatifs de la pornographie, sans penser qu'en la démonisant, on isole ceux qui la consomment

F43. Tu prends en note l'adresse du site : « B-E-L-L-E… »

H45. « BELLE ÉPOQUE » en un mot – sans accent

F43. Tu tapes l'adresse du site. T'appuies sur «RETOUR». La fenêtre s'ouvre, tranquillement

H16. La fenêtre s'ouvre – tac

F43. Les conditions apparaissent, petit à petit

H16. Tu lis pas les conditions

F43. C'est vraiment long. «Il faudrait que tu désinstalles tout pis que tu réinstalles tout», qu'il a dit, «ou que tu changes de système», quelque chose comme ça

H45. La porno reste une initiation parmi tant d'autres qui aura lieu de toute manière et qu'il serait vain d'interdire

F43. Jean-Pierre connaît vraiment bien ça, les ordinateurs

H45. Mais c'est pas ce que t'as dit à Nathalie, non. Elle pourrait juste pas l'entendre

F43. ENFIN, tu vois apparaître les conditions

H16. TU CLIQUES SUR «J'ACCEPTE»

F43. «JE CERTIFIE SUR L'HONNEUR ÊTRE MAJEUR SELON LES LOIS EN VIGUEUR DANS MON PAYS. UTILISER TOUS LES MOYENS PERMETTANT D'EMPÊCHER L'ACCÈS DE CE SERVEUR À TOUT MINEUR. ASSUMER MA RESPONSABILITÉ D'ADULTE, SI UN MINEUR ACCÈDE À CE SERVEUR À CAUSE DE NÉGLIGENCES DE MA PART. J'AI LU ATTENTIVEMENT LES PARAGRAPHES CI-DESSUS ET SIGNE ÉLECTRONIQUEMENT MON ACCORD. CLIQUEZ SUR J'ACCEPTE POUR CONTINUER, JE REFUSE POUR QUITTER.» C'est complètement hypocrite. Nulle part ils parlent de violence ou de pornographie

H45. « J'ACCEPTE », sinon tu peux pas entrer sur le site. Une main apparaît, en gros – qui caresse l'écran

H16. Là il faut que tu mettes tes écouteurs. Tu vas entendre la séquence de son cri

F43. Tu peux déjà entendre les cris

H45. T'entends UN cri – de jouissance

H16. Avec les écouteurs, le son est meilleur

F43. T'imagines les pires horreurs

H45. « BELLE ÉPOQUE », ç'a l'air très *soft*

H16. Ça fait comme un petit choc électrique dans le bas du ventre

F43. Tu cliques sur « J'ACCEPTE ». Ça réfléchit

H16. Là, tu vas dans le coin droit de l'écran pis

4.

F43. T'ENTENDS DU BRUIT

H16. T'enlèves tes écouteurs

F43. On dirait qu'y a quelqu'un dans la maison. T'appelles : « Allô ? »

H16. « FAIS LÀ, HOSTIE DE FOLLE ? ENCORE EN TRAIN DE TE PARLER TOUTE SEULE ? », que tu penses

F43. Ça venait d'en bas – dans la maison. Le vendredi, des fois, Jean-Pierre rentre plus tôt

H16. Tu regardes l'heure : HUIT HEURES QUARANTE-SEPT AM

F43. Tu prends le portable – le poses sur le lit. « Jean-Pierre ? »

H16. « Jean-Pierre ? », que tu répètes – dans ta tête

F43. Va voir si c'est lui

H45. Elle va jamais voir « si c'est lui »

F43. Tu te dis : « D'un coup que lui aussi s'inquiéterait pour son enfant ? » Va donc voir

H16. Elle descend pas

F43. Ou c'est peut-être Maxime ? Tu déposes le portable pour voir si

H16, *à F43. FUCK YOU! (Au public.)* Elle sait pas qu'il est là. Clique sur « MEMBRE »

5.

H45. Tu cliques sur « DEVENIR MEMBRE »

F43. LA FENÊTRE S'OUVRE – enfin. Balayage rapide, saccadé – bon. En haut de la page, tu peux lire : « QUI AIME BIEN CHÂTIE BIEN »

H16. À « NOM D'USAGER », écris : « GROSBATON-ROUGE ». T'a pognes-tu ?

F43. Tu vois apparaître une main – qui s'ouvre – écarte les doigts

H16. Le mot de passe, c'est « CRUCIFIED69 »

F43. La main se referme – en tremblant

H45. De plaisir

H16. *Crucified.* Tu sais ce que ça veut dire?

F43. Une main qui gratte – s'accroche. Une main – d'enfant.

H45. C'est pas une main d'enfant

F43. C'est une main d'enfant

H16. La main disparaît

H45. C'était pas une main d'enfant

F43. C'était une main d'enfant

H45. C'était pas une / main d'enfant

F43. C'était une / main d'enfant

H45, *à F43.* C'ÉTAIT PAS UNE MAIN DE – *(Au public.)* Nulle part il est question de – d'enfant. *(Au public.)* Tu pointes le curseur sur « CARTE DE CRÉDIT »

F43. Et là – t'entends une plainte

H45. De femme – qui jouit

H16. Oublie pas le « 69 » à la fin

F43. À donner des frissons

H16. « 69 ». Ça, tu sais ce que ça veut dire

F43. Dans les petites caisses intégrées de l'ordinateur, le son est tellement cheap. Ç'a l'air tellement vrai

H16. « *ENTER* »

F43. Est-ce que c'est ça qui – l'excite?

H45. Rentre ton nom, ton adresse, ton code postal, ton pays

F43. Lentement, tu bouges la flèche vers « MEMBRE »

H45. Ton numéro de carte de crédit

F43. La flèche devient une main quand elle touche « MEMBRE »

H16. Là tu vois la couverture d'un album de photos – en cuir noir

F43. Tu cliques sur « MEMBRE ». Tu penses au mot « secte »

H45. T'écris le même nom d'usager que d'habitude. Y a juste le chiffre qui change : « BIGDICK » – « 22 »

F43. Tu entres le nom d'usager que la mère des jumeaux a créé. Tu vas vérifier le nom dans le courriel – t'écris : « STEEVE123 »

H45. Pourquoi t'écris pas juste « JEAN-PIERRE » ?

H16. L'album de photos s'ouvre

F43. Tu entres le mot de passe que les garçons ont cracké. « CRUCI/FIED

H16. « CRUCIFIED69 »

F43. Est-ce qu'ils savent au moins ce que ça veut dire ?

H16. Là tu peux voir deux photos : « LE VILLAGE » et « LA MAISON »

H45. C'est en noir et blanc. Ça doit être érotico-historique

F43. « J'AI SURPRIS MES FILS SUR UN SITE INTERNET PORNOGRAPHIQUE OFFRANT UN JEU EN LIGNE D'UNE VIOLENCE INOUÏE. SAMUEL ET JÉRÉMIE M'ONT DIT Y AVOIR ÉTÉ INITIÉS PAR VOTRE FILS MAXIME. J'AI CRU BON DE VOUS EN INFORMER. »

H45. Tu relis le courriel de l'autre hystérique. Tu l'imagines au lit – l'ennui total

H16. T'as le choix entre « LA MAISON » et « LE VILLAGE »

H45. Appuie sur « RETOUR »

F43. Tu vois un gros livre noir. On dirait un livre de sorcellerie. Le livre s'ouvre. C'est – un album de photos – à première vue

H45. T'hésites, le curseur entre « LE VILLAGE » et « LA MAISON »

F43. Est-ce qu'il aurait commencé par « LE VILLAGE » ?

H16. C'est sûr que tu veux entrer dans la maison, mais la première fois, c'est mieux de commencer par le village. C'est mieux de commencer par le début. Pour t'habituer – aux « LOIS ».

H45. Tu cliques sur « LE VILLAGE »

F43. Clique

H16. « LE VILLAGE » – clique dessus

6.

H16. Le village : tu peux voir « L'ÉGLISE », « LE MAGASIN GÉNÉRAL », « LE MOULIN À SCIE », « LA CABANE DU FORGERON », « LA MAISON DU DOCTEUR », *et cetera.* Tu les vois – en bas, tu les survoles. Pour l'instant, t'es dans « L'ŒIL DE DIEU ». T'es un « ESPRIT » qui descend du ciel. Tu pointes avec ta flèche dans la direction que tu veux aller

F43. C'est un village – de l'ancien temps

H45. OK

H16. Tu descends, t'atterris sur « LE PARVIS DE L'ÉGLISE »

H45. Tu vois une vieille qui fume une pipe sur un banc. Elle sourit – sans dents

F43. Attends – c'est sûrement plus pervers que tu penses

H45. Tu passes les portes de l'église

F43. L'église est remplie de monde – assis – en silence

H16. Tous les personnages que tu vois s'appellent des « PAROISSIENS »

F43. Tu « voles » vers l'autel

H45. Tu vas derrière une femme qui prie

H16. Si tu passes la main sur un paroissien, tu peux voir son âge, son sexe

H45. Tu soulèves sa robe

H16. Si tu double-cliques dessus, tu peux aussi voir ses « VERTUS »

H45. La robe bouge pas. C'est quoi ça ?

H16. Les « VERTUS », c'est comme – les pouvoirs du paroissien. Plus un paroissien a de vertus, plus il se rapproche de Dieu, donc plus il est puissant. C'est important de bien connaître ses paroissiens. Ils peuvent débarquer n'importe quand. Si tu veux, tu peux entendre les « COMMÉRAGES DE LA VOISINE », la « PRIÈRE DU DOCTEUR », ou le « SERMON DU CURÉ »

F43. C'est – une messe

H45. Est où la *porn* violente là-dedans ?

F43. C'est peut-être – la présence de la religion qui irritait la mère des jumeaux ?

H45. T'essaies de faire quelque chose – n'importe quoi

H16. T'as pas de corps – pour l'instant

F43. Dieu, Jésus – il a pourtant jamais posé de questions là-dessus

H45. Tu « voles » jusqu'au curé

F43. Sa sœur, oui – tout le temps

H45. Tu veux jeter le curé en bas de sa chaire mais tu passes au travers

H16. Pour l'instant, t'es un « ESPRIT ». T'es pas encore incarné

H45. C'est quoi l'idée ?

H16. Y a des affaires que tu peux faire, mais qui font pas vraiment partie du jeu. Comme si tu fais un mouvement circulaire avec ta souris sur le moulin à vent, tu produis du vent. Si tu la fais tourner assez vite, l'hélice peut finir par débarquer. Tu peux même tuer du monde. C'est une « INTERVENTION DIVINE »

H45. Est-ce que c'est ça qui l'excite ?

H16. « LA MAISON » – clique dessus

F8. À quoi tu joues ?

H45 et F43 se bouchent les oreilles.

H16. Tu vois pas que je travaille ?

F8. Tu travailles même pas

H16. Qu'est-ce tu veux ?

F8. Est-ce que tu voudrais venir me porter à l'école ?

H16. Pas le temps

F8. *PLEASE*

H16. Décâlisse

F8. Toi décâlisse

H16. Va donc jouer dans le trafic, petite pute

F8. C'est quoi, « petite pute » ?

H16. C'est ce que tu vas être quand tu vas être assez grande pour

H45 et F43 écoutent de nouveau.

H16. « LA MAISON » – clique dessus

F43. Clique

H45. Tu cliques sur « LA MAISON »

7.

F43. Un titre apparaît : « TU N'ES PAS MAÎTRE DANS LA MAISON QUAND NOUS Y SOMMES[1] »

H45. T'entends la musique

H16. Tu peux voir trois avatars devant une maison

---

1. Inspiré de la chanson *Bonhomme bonhomme*. Les paroles originales sont : « Tu n'es pas maître dans ta maison quand nous y sommes ».

H45. En beige et brun

H16. C'est une photo – un daguerréotype

H45. Zéro animation

F43. Quand tu passes la souris sur un personnage, il t'envoie la main – en souriant

H16. Là il faut que tu choisisses ton « MEMBRE »

H45. Tu peux même pas créer ton propre personnage – décider de ton physique

H16. T'as le choix entre « LE PÈRE », « LA MÈRE » ou « LE FILS »

F43. MON DIEU – c'est une famille

H45. C'est absurde

H16. Chaque membre a ses vertus. Par exemple le fils a beaucoup de « COURAGE » et d'« ESPÉRANCE »

H45. T'en crois pas tes yeux

H16. En gros, ça veut dire qu'il est petit pis qu'il court vite

F43. Tu passes la souris sur le fils. Il t'envoie la main – son sourire

H16. Le père a beaucoup de « FORCE ». Il peut soulever des roches, se servir de tous les outils de la ferme, *et cetera*. Il a aussi pas mal de « JUSTICE » et de « TEMPÉRANCE »

H45. Quel malade a eu l'idée de déterrer le concept de « TEMPÉRANCE » ?

H16. La mère est pas mal plus forte que le fils, mais moins forte que le père. Par contre elle a beaucoup de « CHARITÉ » et de « PRUDENCE ». En gros ça veut dire qu'elle sait où se trouvent les affaires de la cuisine : les casseroles, le rouleau à pâte, *et cetera*

F43. C'est peut-être un jeu éducatif ?

H45. C'est complètement rétrograde

H16. Ta job, c'est d'être un bon père, une bonne mère ou un bon fils. Pour ça, il faut que tu montres le « BON EXEMPLE » en faisant ton « DEVOIR ». Tu sais que t'es en train de faire ton devoir quand tu gagnes des « BONNES ACTIONS »

H45. AU SECOURS

H16. C'est important, les bonnes actions. Ça peut faire une grosse différence « À L'HEURE DU JUGEMENT DERNIER »

H45. Tu peux pas croire qu'il trippe sur des bondieuseries pareilles

F43. S'il joue à ce qui semble être – une famille – de l'ancien temps, c'est peut-être pour avoir accès à un cadre plus strict, peut-être rigide, mais qu'il juge pour lui-même nécessaire ?

H45. « QUI AIME BIEN CHÂTIE BIEN » !

F43. Et pour pouvoir vivre ce que c'est – par exemple – d'avoir un père ?

H45. Prends le téléphone

F43. Si t'étais Maxime, tu choisirais quel personnage ?

H45. Appelle Nathalie

F43. Est-ce que tu choisirais le père ?

H45. Annonce-lui la bonne nouvelle : « Notre fils capote sur Jésus »

H16. Avec les Laberge, c'était toujours la guerre pour être le fils

F43. Clique sur « LE FILS »

H45. Ça sonne

H16. Chaque membre a aussi ses « VICES ». Par exemple, la mère a beaucoup de « VOLUPTÉ »

F43. « VOLUPTÉ » ?

H16. Ça veut dire son cul.

H45. Raccroche le téléphone. Qui te dit qu'y a pas une *twist* érotique à tout ça ? « LE PÈRE » – clique dessus

H16. Tu cliques sur « LA MÈRE »

F43. Je comprends pas, là

H16. La mère – c'est toujours elle que tu choisis

8.

F43. La photo s'anime. La famille court vers la maison

H45. Un titre apparaît, sur fond noir

H16. Tu peux entendre de l'orgue – malade

H45. « LA PARESSE EST MÈRE DE TOUS LES VICES. » C'est ce qu'on va voir

H16. Le soleil se lève – tac. T'entends « LE CHANT DU COQ »

F43. Je – j'ouvre les yeux

H45. Je suis couché – dans un lit. C'est un début

H16. Je me lève

F43. Au mur : je vois un crucifix

H16. Clique – j'ouvre le tiroir de « LA COMMODE »

F43. De l'autre côté du mur, j'entends du bruit

H45. Je peux voir la mère, de dos – à l'autre bout de la chambre – en robe de nuit. *Watch out*

F43. Je me colle l'oreille contre le mur – me cogne la tête dessus

H16. Là t'as le choix entre trois robes. « LA ROBE DE MARIÉE », « LA ROBE DU DIMANCHE » et « LA ROBE DE JOUR ». Il faut que tu choisisses la bonne. Des points faciles

F43. Par une craque du mur, je peux voir la mère – en partie

H16. Si t'habilles pas ton membre, il passe le reste de la partie en « JAQUETTE »

F43. Est-ce que c'est ça qui – l'excite ?

H45. Je déchire ma camisole

H16. Une fois, je m'étais pas habillée pis je suis morte de « LA GRIPPE ESPAGNOLE ». *Nice*

H45. Je peux pas déchirer ma camisole, ça fait comme – partie de ma peau

H16. Clique sur « LA ROBE DE JOUR ». Ça te fait une bonne action

H45. La mère enlève pas sa jaquette, elle met sa robe par-dessus

H16. Il faut que tu découvres c'est quoi ton devoir

H45. Il faut sûrement que tu la déshabilles pis que tu la prennes de force

F43. CLIQUE – je prends le crucifix. Ça donne rien. Tu gagnes pas de bonne action

H16. Il faut que tu fasses ton devoir avant le troisième chant du coq – vite

H45. Vite avant qu'elle se mette une autre couche

H16. Je sors de la chambre – clique sur « LA PORTE »

H45. Je cours après la mère – vraiment pas vite. Clique sur mes pieds

F43. Clique – j'ouvre une porte – « LE GARDE-ROBE ». OK – t'as le choix entre « LA SALOPETTE », « L'HABIT DU DIMANCHE » et « LA ROBE DE SERVANT DE MESSE »

H45. J'avance pas, je fixe mes pieds

F43. Il doit y avoir une astuce. La robe du servant de messe – clique. Tu gagnes rien

H45. Je vois pas mes pieds, quelque chose me bloque la vue : un bedon

F43. Je veux sortir de la chambre – je trouve pas la porte

H45. Fais quelque chose – clique

F43. Je tourne sur moi-même

H45. Je me tape le bedon

H16. Pour faire marcher ton membre de famille, tu pointes dans la direction que tu veux aller – « LE POÊLE »

H45. « LA PORTE » – j'entre dans une pièce. L'air est saturé de fumée, de poussière

F43. Je sors de la chambre – en tenant le crucifix. Je regarde autour de moi

H16. Tu peux voir « LA TABLE », « LE POÊLE » et « LE VAISSELIER »

H45. J'entends une femme chanter

F43. Je vois personne – tout est plus grand que moi. Je saute sur place

H16. Pour avoir une vue d'ensemble, tu peux faire DOUBLE FLÈCHE COMMANDE D. C'est « L'ŒIL DE DIEU »

F43. J'aperçois la mère, à l'autre bout de la cuisine – penchée sur le poêle – presque couchée dessus

H16. Je fais cuire une « GALETTE DE SARRASIN » – en chantant. Ça compte pour deux bonnes actions

H45. Pointe la flèche vers la mère – « sa volupté »

F43. Je vois le père passer – en combine

H45. Le fils se jette devant moi – habillé en curé. Il me montre un crucifix

F43. Le père s'arrête pas, il me marche dessus – fonce sur la mère. Je voudrais la prévenir, mais je sais pas comment

H16. Le site te suggère toujours des phrases avec le vocabulaire de l'époque – selon ton devoir. Il faut que tu choisisses la bonne

F43. Le site te suggère : (A) *« J'peux-tu aller jouer déhors, moman ? »*, (B) *« As-tu besoin d'aide pour mettre la table, moman ? »* et (C) *« Avez-vous besoin d'aide pour mettre la table, moman ? »* Je comprends pas

H45. J'arrive derrière la mère. Soulève sa robe – CLIQUE – je soulève la mère

H16. Tu choisis : (B) *« Ah ben c'tu moé ou y en a qui ont faim ? »*

H45. La mère – tu croirais entendre ton arrière-grand-mère

H16. L'accent de ce temps-là – malade

H45. Le site te suggère : (A) *« Dépêche-toé d'me sarvir, ma femme, j'ai ben d'l'ouvrage à matin ! »*, (B) *« J'vas aller m'ercoucher, ma femme, sers-moé dans l'litte ! »* et (C) *« Sers-moé dans grange, ma femme, j'vas aller traire les vaches ! »*

F43. Le site est interdit aux mineurs – peut-être juste parce que c'est archi-sexiste ?

H45. Je dis rien. Je dépose la mère. Ses seins – clique dessus, mais je la frappe sur l'épaule

H16. Le père me tape dessus, mais je lui fends pas la tête avec le rouleau à pâte, non. Je ris

F43. La mère rit – les mains sur les hanches

H16. Quand quelqu'un rit, tout le monde rit

H45. Je ris – en me tapant sur les cuisses

H16. Tout le monde est obligé

F43. *« Ha ha ha. »* Je ris aussi – en me tenant les côtes

H16. Ça s'appelle « SE PAYER UNE PINTE DE BON SANG »

H45. Enfin, j'arrête de rire. La mère – je la prends par-derrière

H16. Le père me tape dans le dos

H45. Penche la mère – clique – mais elle plie pas

H16. Là BIGDICK22 gagne pas de bonne action

H45. La mère est obligée de faire son « DEVOIR »

H16, *à H45.* C'EST PAS LE BON

H45. Les créateurs du site manquent vraiment de perspective historique

H16. Tu choisis (A) : *« Télesphore, mon ratoureux ! Assis-toé si tu veux j'te sarve ! »*

H45. T'en as assez vu. Sors du site

H16. Je repousse le père – fais sauter la galette. Je regarde le fils dans le miroir du four. Je rattrape la galette

F43. À quoi il joue ?

H16. (B) *« Aide-moé à mettre le couvert, mon lapin, m'as t'faire cuire une belle crêpe. »*

H45. Qu'est-ce que t'attends ? Sors du site

H16. Le père bouge pas

H45. Fais quelque chose – je sais pas moi – tue ton personnage

H16. Le fils bouge pas. Il me fixe

F43. Est-ce qu'il joue vraiment à faire des crêpes ?

H45. Sur la table, je vois un couteau. Pointe la flèche vers la table, qu'on en finisse

H16. Le fils bouge toujours pas, faque tu recliques sur la phrase : *« Aide-moé à mettre le couvert, mon chaton, m'as t'faire cuire une belle crêpe. »* Chaque fois, la mère change de petit nom

H45. Insupportable

H16. Pis les « r » de ce temps-là – *fucked up*

H45. Je m'assois à table, je prends / le couteau

H16. Le père s'assoit à terre

H45. « LA CHAISE » – clique dessus. Tire « LA CHAISE » – JE M'ASSOIS DESSUS

H16. Une bonne action pour popa

H45. CLIQUE – le couteau. Je me rentre le couteau dans le ventre

H16. Le couteau rentre pas

H45. C'EST QUOI L'AFFAIRE ?

H16. C'est un couteau à beurre

F43. Dans le genre, c'est très bien fait. Je veux dire : ils doivent sûrement avoir gagné un prix pour ça. Mais est-ce qu'il joue vraiment au *Temps d'une paix*[2] ?

H16. T'entends le deuxième chant du coq. Ça te donne envie de battre le fils, mais tu peux pas juste le pogner pis le pitcher tête première dans « LE VAISSELIER ». La famille, c'est un travail d'équipe. Il faut que tu dialogues

F43. Est-ce que c'est ça qu'il cherche ?

H45. Je prends une fourchette. Je me plante la fourchette dans l'œil

H16. *« Ah ben c'tu moé ou y en a qui ont faim ? »*

H45. JE SAIGNE MÊME PAS

H16. Ça en prend plus que ça pour tuer le père

---

2. Feuilleton télévisé québécois qui se déroule entre la Première et la Seconde Guerre mondiale.

F43. Clique sur : (C) *«Avez-vous besoin d'aide pour mettre la table, moman ?»*

H16. Une bonne action pour fiston. *«Aide-moé à mettre le couvert, mon loup, moman t'a fait des belles crêpes!»* Et une bonne action pour moman

F43. Pointe la flèche vers le vaisselier

H45. Pointe la flèche vers le poêle

F43. Lentement, je marche vers le vaisselier – accélère – rentre dedans

H16. *«Si t'en casses une, tu vas manger à terre!»*

F43. Je me mets sur la pointe des pieds. Clique – j'ouvre les portes du vaisselier. T'as le choix entre : «LE *SET* DE PORCELAINE», «LES BOLS À SOUPE», «LES ASSIETTES DE TERRE CUITE»

H45. Je fonce droit sur le poêle. Parfait! Y a un rond d'ouvert

F43. Je prends trois assiettes de terre cuite. Je gagne pas de bonne action

H16. Ça prend QUATRE assiettes

H45. Je plonge dans le rond du poêle

F43. On est trois. J'ai pris trois assiettes

H45. Je rebondis sur le poêle – tombe par terre

H16. Ça prend quatre assiettes. Une pour la mère, une pour le père, une pour le fils – et une pour «LE MONSTRE»

H45. À côté du poêle – je vois une porte de chambre – fermée

F43. «Le monstre»?

H16. Vite avant qu'il se réveille

H45. La porte – clique dessus

H16. NON

H45. À contre-jour, je vois apparaître – une silhouette toute recroquevillée. Le monstre avance vers moi – en se traînant les pieds. Le site te suggère des prières. Le monstre pousse un cri. PARFAIT. Je me jette sur lui, qu'on en finisse

H16. Trop tard

H45. Je peux plus bouger. La silhouette étire les bras – tend les mains. Ses mains se referment – en tremblant. Ses mains

Le troisième chant du coq. H45, F43 et H16 voient la petite fille du début de la pièce qui entre en s'étirant. Elle bâille, puis se frotte les yeux.

H45. Mon Dieu

F8. Quoi, « mon Dieu » ?

F43 et H16 se bouchent les oreilles.

H45. Rien

F8. Tu dis toujours ça. Je peux-tu marcher le dernier coin de rue jusqu'à l'école, là ?

H16 et F43 entendent à nouveau.

H45. Je la prends dans mes bras

H16. Le père peut pas bouger

F43. Je cours vers elle

H16. Le fils reste là

F43. Je veux dire : POINTE LA FLÈCHE VERS ELLE, mais je bouge pas. QU'EST-CE QUE T'ATTENDS ? Je peux même pas parler, le site te suggère AUCUNE PHRASE. Elle me regarde, le sourire figé – TOUT EST FIGÉ. Il doit y avoir un problème avec l'ordinateur – ça peut juste être un problème avec l'ordinateur, mais pourquoi y aurait un problème avec ton ordinateur ? Je veux dire : pourquoi t'aurais un problème avec l'ordinateur MAINTENANT ? Il t'a dit : « ça doit être la faute de ton système », « faudrait que tu changes de système », « ton système est trop vieux ou trop lent ». Pourquoi à chaque fois que ça plante ça serait la faute de TON système ? JE PEUX PAS CROIRE QU'Y A JUSTE TON SYSTÈME QUI PLANTE AU MOMENT OÙ IL FAUT PAS

Sonnerie d'un téléphone – de maison – qui vient du fond de la salle. La petite fille sort. Le téléphone sonne une deuxième fois. Une troisième.

F43. Réponds

H16. Réponds pas

La quatrième sonnerie est coupée.

F43. Trop tard. C'était peut-être – Jean-Pierre qui essayait de t'appeler ? Il était inquiet – il a senti que quelque chose allait pas

H16. Quand tout fige, ça veut dire que t'as poché le tableau – *game over* – t'es mort

F43. T'aurais pu alors lui dire : « Chéri, je viens tout juste de découvrir que notre fils, Maxime, que je soupçonnais d'aller sur un site – violent, va en fait sur un site dans lequel on apprend à – être une famille »

H16. Pour réussir le premier tableau, il faut que le fils sorte quatre assiettes, que la mère serve les crêpes, que tout le monde s'assoie pour la prière ET que le père bénisse le repas. Il faut que tout le monde fasse son devoir avant le troisième chant du coq – quand le petit monstre sort de sa chambre

F43. Maxime a toujours été froid, distant avec sa sœur. Alors que pour elle, son grand frère c'était – . Jamais il daignait jouer avec elle

H45. Est partie. Est pus là. Et c'est pas un jeu en ligne qui va la faire revenir

H16. C'est pas un jeu. Être parent, c'est un vrai travail

H45. Y a rien qui a le pouvoir de – rien peut combler cette absence-là. Et maintenant il faut vivre avec. Il faut continuer à

H16. Une phrase flashe à l'écran : « BONHOMME, BONHOMME ! VEUX-TU REJOUER ? »

H45. Sors du site

F43. Pointe la flèche vers « REJOUER »

H45. Pourquoi t'hésites ?

F43. La flèche devient une main quand elle touche « REJOUER »

H45, *à F43*. J'AI DIT : SORS DU SITE

F43, *à H45*. Je t'écoute pas – t'es pas là – t'existes pas

H16. Sors de ta chambre. Direction salle de lavage – congélateur horizontal – *Drumstick*

H45, *à F43*. Va lui parler

F43, *au public*. Change de membre

H16. Peut pas

F43. « LA MÈRE » – clique dessus

H16. Trop tard – est déjà incarnée

H45, *à F43*. Retourne pas là

F43. Clique sur « REJOUER ». La photo s'anime, le fils court vers la maison

H45, *à F43*. Tu fais juste te faire du mal

H16. Clique sur « REJOUER ». La photo s'anime, la mère court vers la maison

H45. On peut pas retourner en arrière

H16. « LE PÈRE » reste là, il fait rien

F43. Alors qu'il devrait s'occuper de sa fille

9.

Orgue.

H16. « LA PARESSE EST MÈRE DE TOUS LES VICES »

H45. T'as repassé les événements mille fois dans ta tête

Premier chant du coq.

H16, F43. J'ouvre les yeux

H45. C'est vrai, t'aurais pu être plus strict – lui dire non, barrer les portes, l'attacher à son siège

H16, F43. Je me lève

H45. Mais à quoi ça sert de se dire ça maintenant ?

F43. Ah Jean-Pierre a jamais été violent avec elle

H16. « LA COMMODE »

F43. Ç'a été un père aimant, compréhensif

H16. « LA ROBE DE JOUR »

F43. Attentif aux moindres désirs de sa fille

H16, F43. Je sors de la chambre

F43, *à H16*. *« Avez-vous besoin d'aide pour mettre la table, moman ? »*

H16, *à F43*. *« Aide-moé à mettre le couvert, mon lapin, m'as t'faire cuire une belle crêpe. »*

F43. C'est vrai, t'es loin d'avoir été parfaite

H16. Je marche vers le poêle

F43. Mais y a une chose que tu peux pas te reprocher. Je tourne sur moi-même

H16. Je mets du « BEURRE » dans « LA POÊLE »

F43. Pointe la flèche vers le vaisselier. Une chose est sûre : tu préfères de loin avoir été exigeante, écrasante, voire castrante – plutôt que négligente.

H45. Clique sur « REJOUER ». La photo s'anime. Le père court vers la maison. J'ouvre les yeux. Je me lève. Clique – « LA SALOPETTE ». Je sors de la chambre. Je marche vers la table. Je tire la chaise. Je m'assois sur la chaise. J'approche la chaise de la table – tape du poing

H16, *à H45*. *« Ah ben c'tu moé ou y en a qui ont faim ? »*

H45, *à H16*. *« Dépêche-toé d'me sarvir, ma femme, j'ai ben d'l'ouvrage à matin ! »*

H16. Je verse le mélange à galettes dans la poêle

F43. J'ouvre les portes du vaisselier

H45. C'est parfois difficile d'accepter que son enfant puisse avoir une vie propre

F43. J'ouvre les portes, prends quatre assiettes

H45. Qu'il puisse échapper à notre contrôle

F43. Je marche vers la mère avec la pile d'assiettes

H45. Il arrive parfois qu'on se sente dépassé

F43. J'accélère

H45. Surtout quand il s'agit d'une enfant – allumée

F43. L'assiette du dessus glisse, TOMBE

H45. Nathalie a fait tout ce qu'elle a pu pour sa fille

H16. Dans le miroir du four, je regarde l'assiette tomber

H45. CLIQUE – j'attrape l'assiette

H16. Une bonne action

H45. J'attrape le fils par la gorge – je serre

F43. Je vois flou

H45 Mais y a une certitude que tu pourras jamais t'enlever de l'esprit : si ce matin-là Nathalie l'avait pas punie, ta fille serait encore vivante aujourd'hui.

Deuxième chant du coq.

F43. Les assiettes tremblent

H16. LES ASSIETTES

H45. Je lâche prise

F43. Je dépose les assiettes

H16. Je sers les galettes. Je mets une assiette devant le père. Je mets une assiette devant le fils

F43. Je m'assois

H16. Je me sers une galette. Je mets une assiette vide devant la chaise du monstre. J'enlève mon tablier. Je m'assois

F43. Ce jour-là, Jean-Pierre est rentré très tôt du travail, pour t'annoncer qu'il y avait eu – un accident – un accident «bête». Mais la question c'est : comment un accident comme ça a pu seulement arriver ?

H45. ON PEUT PAS AVOIR LE CONTRÔLE / SUR TOUT

F43. ON PEUT PAR CONTRE AVOIR LE CONTRÔLE SUR UNE PETITE FILLE DE HUIT ANS / QUI A PAS

H16. LE SITE SUGGÈRE DES PRIÈRES. Je ferme les yeux – joins les mains. J'attends que le père dise la prière

H45. La prière ?

H16. Faut juste choisir la bonne – des points faciles

H45. C'est certainement pas maintenant que tu vas te mettre à prier

H16. C'est le dernier devoir à accomplir avant que le monstre sorte de sa chambre

F43. Clique / sur : « *Notre*

H16. C'EST LE PÈRE qui doit bénir le repas.

H45. À l'enterrement – après avoir supporté les inepties du prêtre sur la pureté du cœur des enfants et sur leur place assurée au ciel, il t'a mis une main sur l'épaule – en souriant – et il t'a dit : «Prions, Jean-Pierre. Seul Dieu peut nous consoler.» Tu l'aurais étranglé, mais t'as obéi. Clique. «*Notre Père, qui êtes aux cieux ; que votre nom soit sanctifié ; que votre règne arrive ; que votre volonté soit faite sur la terre comme au ciel.*

44

Donnez-nous aujourd'hui notre pain quotidien. Pardonnez-nous nos offenses, comme nous pardonnons à ceux qui nous ont offensés, et ne nous laissez pas succomber à la tentation. Mais délivrez-nous du mal. Ainsi soit-il. »

Troisième chant du coq. À jardin, la petite fille entre en s'étirant. Elle bâille, puis se frotte les yeux.

F43. Est là. Elle me regarde – me sourit

H16. Petit monstre – elle fait sa *cute*

H45. Tu pourras jamais te le pardonner

F43. Viens, ma chérie

La petite fille ne bouge pas.

H16. Là, le site te suggère trois phrases : (A) *«J'en connais une qui va se mettre au lit de bonne heure à soér!»*, (B) *«C't à c'te heure-là qu'on se lève? Retourne donc te coucher!»* mais t'es pas cave, tu choisis (C) *«Mademoiselle fait la grasse matinée? Elle peut se passer de déjeuner!»*

Orgue. La petite fille baisse la tête et court au centre du plateau. Elle est aussitôt encagée sous une table.

F43. Je comprends pas

H16. Le petit monstre s'est levé trop tard – après le «BÉNÉDICITÉ», donc elle «PASSE SOUS LA TABLE», ça veut dire qu'elle est privée de repas

F43. Pourquoi?

H16. C'est pour son «BIEN». Pour qu'elle apprenne «LES BONNES MANIÈRES»

F43. Tout fige. L'image devient une photo, dans un album de photos – C'EST QUOI L'AFFAIRE?

H16. Ça veut dire que tu passes au deuxième tableau. La page de l'album se tourne.

10.

Sur scène : quatre chaises autour de la table.

H16. Là tu peux voir une photo : « LE REPAS EN FAMILLE ». Au bout de la table, y a le père

H45. Compte pas sur moi

H16. En face de lui, y a la mère.

H16 s'assoit à table.

H16. À sa droite, y a le fils.

F43 s'assoit à table.

H16. En face, y a la chaise du monstre.

F43. Sous la table – je peux la sentir. Je peux l'entendre respirer

H16. Dans le deuxième tableau, il faut que tu manges ta galette – en respectant les bonnes manières. La petite est « GOURMANDE », genre hystérique boulimique compulsive. Elle va essayer de te voler de la bouffe pendant le repas. Le but, c'est de l'attraper « LA MAIN DANS LE SAC ».

Orgue. Beuglement d'une vache.

H16. Je prends du beurre – avec le couteau du beurrier

F43. Je prends de la cassonade – avec la cuillère à cassonade

F43. Sous la table – je lui tends la cuillère. Tiens. Mange

H16. Le fils a pas le droit de la nourrir, mais je peux rien dire. Les repas se font en silence. Attention – est là

F43. Où ça?

H16. Là – sur le bord de la table. Tu peux voir le bout de ses doigts

11.

H45. FERME L'ÉCRAN. Lève-toi. Va à la fenêtre. Ouvre les stores. Regarde, en bas – dans la rue – les gens. Tu pourrais les tirer comme des lapins. Ils vont et viennent, sans conscience du danger qui les guette. À quoi le monde pense? Ils devraient être en train de courir – crier – appeler la police. Retourne-toi. Regarde : sur ton bureau, le téléphone. Le voyant rouge de la ligne deux clignote. Réponds, c'est la réceptionniste. «Je suis vraiment désolée de vous déranger, Jean-Pierre, mais le collège a appelé. C'est au sujet de Maxime. Il a été vu à l'école ce matin, mais il s'est jamais présenté en classe. Ils ont tenté de joindre votre femme – sans succès. Voulez-vous que j'essaie sur son cellulaire? – Ça sera pas nécessaire, Madeleine, je vais m'en occuper.» Nathalie le sait. Tu le sais. Tout le monde le sait. C'était pas un accident. C'est toi qui l'as tuée. Allume l'écran.

12.

H16 frappe la table. Beuglement d'une vache.

F43. Elle a enlevé sa main – juste à temps

H16. Je regarde le père. Il a pas encore touché à son assiette

H45 s'assoit.

H16. Je plante ma fourchette – coupe ma galette

F43. Je prends des bleuets

H16. Il faut toujours se servir des ustensiles. Je prends une bouchée – une petite

F43. Je fais rouler des bleuets jusqu'au bord de la table. Sa main apparaît – elle vole un bleuet, un deuxième. Elle a tellement faim

H16. Plus elle mange, plus est rapide

F43. Sa main approche. Les bouts de ses doigts sont bleus. Je les mangerais

F43 approche sa main de la petite fille – la retire.

F43. Elle m'a mordu

H16. Un vrai petit monstre. Le truc, c'est d'attendre que sa main soit dans ton assiette – est dans celle du père. Est en train de partir avec toute sa galette. Normalement, il faudrait que le père FASSE DE QUOI

H45. Je prends la fourchette

H16. C'EST PLUS LE TEMPS DE MANGER.

H45 frappe la table. Beuglement d'une vache.

F43. Sa main

H16. Le père a pogné la petite – avec la fourchette

F43. La petite monte sur la chaise, sur la table – HURLE

H16. Une ombre passe devant la fenêtre. Sur sa main, quatre gouttes de sang. Cache sa main

« LA VOISINE » entre : à jardin, une ombre s'étire au sol.

H16. *«Ah ben si c'est pas d'la belle visite!»* C'est «LA VOISINE »

F43. Quelle voisine?

H16. *« T'es ben fine de t'inquiéter, mais y a personne de blessé! C'est juste la petite qui est malcommode!»* J'aperçois une goutte de sang par terre. Je la cache sous mon pied. *« C'est ben simple, elle veut pas se servir d'ustensiles. »* Clique – je ramasse la fourchette tombée par terre. *« Si c'était juste d'elle, on mangerait avec nos mains. S'cuse pour le trouble! »*

« LA VOISINE » sort. L'ombre se retire.

H16. Si tu fais crier le monstre, les paroissiens débarquent. En plus, la voisine est le paroissien qui a le plus de «PRUDENCE». Elle remarque tous les détails. Comme par exemple DES MARQUES DE FOURCHETTE SUR LA MAIN D'UNE ENFANT

H45. Il faut toujours se servir des ustensiles

H16. PAS POUR L'ATTRAPER

F43, *à H45*. Qu'est-ce que t'essayes de prouver?

H45. «QUI AIME BIEN CHÂTIE BIEN »

F43, *à H45*. T'es fou. / T'ES COMPLÈTEMENT MALADE

H45, *à F43*. Je t'écoute pas – t'es pas là – t'existes pas

H16. LE SITE SUGGÈRE TROIS PHRASES : (A) *«P'tite voleuse! Va réfléchir dans ta chambre!»*, (B) *«P'tite voleuse! Tu mérites une bonne fessée!»* et (C) *«P'tite voleuse! / Tu seras punie*

H45. *Tu seras punie par où tu as péché.»*

Orgue.

F43. JE COMPRENDS PAS

H16. Le monstre a été pris en train de voler, faut qu'elle soit punie

F43. Elle a AMPLEMENT été punie

H16. Elle a été punie pour sa paresse. Là, elle doit être punie pour sa gourmandise

F43. EN SE FAISANT PLANTER UNE FOURCHETTE DANS LA MAIN?

H16. Non, en se faisant donner «SEPT COUPS DANS LES PAUMES DE LA MAIN». Des points faciles

H45. Elle baisse la tête – me tend les mains

F43. Pointe la flèche vers la petite

H16. C'est le père qui donne la punition, c'est lui qui l'a attrapée

H45. Elle attend, les mains tendues, paumes ouvertes

H16. Le père a le choix entre «LA CEINTURE», «LA VERGE» et le «BÂTON»

F43. Je veux dire, LE FILS SE JETTE DEVANT LA PETITE

H16. Quand c'est pas toi qui donnes la punition, tu peux plus bouger. Tu peux juste regarder. Le premier qui fait son devoir donne la punition

H45. Ses mains tremblent. Une goutte de sang tombe sur le plancher

H16. La ceinture, c'est sûr, ça laisse des marques rouges. Le risque avec la verge ou le bâton, c'est de lui faire des bleus. Le truc, c'est de donner des petits coups secs, mais forts. Comme ça, tu peux réussir à lui casser un doigt sans que la peau fende

H45. Elle tangue légèrement vers moi. On dirait qu'elle va tomber

F43. Clique dessus, je veux dire : POUR ÊTRE ELLE

H16, *à F43.* T'ES DÉJÀ LE FILS. *(Au public.)* Le but, c'est de lui infliger le plus de dommage possible – sans que ça paraisse

F43, *à H16.* JE VEUX PRENDRE SA PLACE

H16. Personne peut être la petite

F43, *à H16.* M'EN FOUS, JE VEUX ÊTRE ELLE

H16. PERSONNE VEUT ÊTRE LA PETITE. LE BUT, C'EST QU'ELLE MEURE. Le père a trois secondes pour choisir.

13.

F43. FERME – l'écran du portable – FORT. Lève-toi. Sors de la chambre. COURS. T'entres dans la salle de bain, ouvres le robinet – qu'est-ce tu fais ? Tu te brosses les dents ? Tu craches – du sang. Tes gencives saignent. Arrête l'eau. Lève la tête. REGARDE-TOI. Tu vois une tache – sur le miroir. T'essuies le miroir.

VA-T'EN. Sors de la salle de bain – c'est ça – cours dans le corridor. Descends les escaliers. VA LUI PARLER. Descends au sous-sol

H16. Enlève tes écouteurs. La folle est descendue

F43. Ouvre la porte de sa chambre. REGARDE-LE

H16. Elle vient d'entrer dans ta chambre

F43. Regarde sa photo – dans la bibliothèque – son sourire. Couche la photo. Fouille les couvertures – regarde sous son lit. Appelle-le : « MAXIME ? »

H16. Hostie de folle

F43. REGARDE, par terre. Un papier d'emballage d'un *Drumstick*

H16. Tu calcules les chances qu'elle aille voir dans la salle de lavage

F43. Sors de la chambre – va dans la salle de lavage

H16. Inquiète-toi pas

F43. T'ouvres lentement la porte du congélateur horizontal

H16. Elle te trouvera pas

F43. Sors de la salle de lavage. Monte les escaliers – entre dans le salon

H16. T'es trop bien caché

F43. Traverse la salle à manger, la cuisine

H16. Continue ton travail. Remets tes écouteurs.

Orgue.

F43. « MAX ! » C'est sûr qu'il est dans la maison

H16. Je soulève la petite par les tresses. Ses cheveux sont pleins de chardon. *« J'vas t'apprendre à t'sauver d'la maison ! »*

H45. Je peux plus bouger, je peux juste regarder

H16. C'est toi qui l'as attrapée, c'est toi qui la punis. Là t'as le choix entre « LE RASOIR », « LES CISEAUX » et « LE COUTEAU »

F43. Tu vas le confronter. Tu vas lui montrer le *mail* que la mère des jumeaux t'a envoyé. Tu vas lui dire que t'as le mot de passe, que t'as vu, que t'es allée sur le site

H16. Les ciseaux, on dirait des vieux sécateurs rouillés

F43. Tu vas lui dire que t'as essayé de comprendre, que t'as fini par comprendre et qu'y a des limites à comprendre

H45. La mère prend les ciseaux, prend les tresses de la petite

F43. Que jamais tu pourras comprendre ÇA

H16. Les ciseaux – le bruit que ça fait – écœurant

F43. Monte à l'étage – la chambre de sa sœur. Tu tends l'oreille

H45. Les tresses tombent par terre. La petite pleure

H16. *« De si beaux cheveux ! Si tu savais comme ça me fend le cœur ! »*

F43. Entre dans la chambre. Sur le lit : les poupées te fixent, te dévisagent

H16. *« Veux-tu me ben m'dire c'qui t'a pris d'aller jouer dins chardons ? »*

F43. Y a juste un endroit où il peut être

H45. La petite plonge le visage dans ses mains. Ses mains sont bleues, enflées

H16. J'avais dit des petits coups secs

F43. Ouvre la porte du garde-robe

H16. *«Enlève tes mains de d'là si tu veux pas que j'te coupe un doigt!»* Pas une bonne idée. Elle pourrait mourir au bout de son sang

H45. Je regarde les mains de la petite. Elle arrive à peine à bouger les doigts

H16. Il faut jamais que les punitions soient mortelles – en soi

F43. Qu'est-ce que t'attends pour ouvrir la porte?

H16. C'est l'accumulation et surtout les conséquences des punitions qui vont finir par l'achever – comme par accident

H45. C'était pas un accident

F43. Pourquoi t'hésites?

H16. Si tu veux pas te faire prendre, il faut que ça ait l'air d'un accident

F43. OUVRE

H16. Attention, la folle est derrière la porte. Recule au fond du garde-robe

F43. OUVRE LA PORTE.

14.

Cloche d'église. Sur scène : un poêle, une chaise berçante, une fenêtre, du mobilier ancien. Une poutre horizontale sur laquelle sont accrochés divers objets de cuisine achève l'illusion que F43 vient d'entrer dans la pièce principale d'une maison de cultivateurs des années vingt. H16 est assis sur la chaise berçante. H45 est à l'extérieur de la maison, où la neige commence à tomber.

F43. Je peux voir la mère. Elle tricote – près de la fenêtre

H16. Par la fenêtre, je peux voir le père

F43. Je vois pas la petite

H16. Je pose mes aiguilles

F43. Où est la petite ?

H45. Dans mes mains, je tiens une hache. Devant moi : un billot

F43. OÙ EST MON BÉBÉ ?

H16. Est là – dans maison. Elle se cache derrière le poêle. Petit monstre. Il faut la surveiller sinon elle tourne les coins ronds. Je plisse les yeux. Elle recommence à frotter

F43. La petite est là – à genoux. Elle frotte le plancher avec une brosse. On dirait une rescapée des camps

H16. La grippe s'attrape plus facilement le crâne rasé

F43. Je veux la toucher, l'embrasser, je tends le bras, mais elle s'éloigne – comme si j'allais la frapper.

Cloche d'église.

H16. Il faut avoir fini sa corvée avant le dernier Angélus. Je tricote en malade

H45. Sur le billot, je vois une bûche

H16. *« Mon cher fils adoré ! Range tes jouets comme un bon garçon ! »*

F43. Sous la table – je vois un train en fer-blanc

H45. Je soulève la hache

H16. Je finis une mitaine

F43. Sous la table, je ramasse le train

H45. Je frappe la bûche – en hurlant

H16. Je casse le fil de laine avec mes dents. Commence l'autre mitaine

H45. Je place une autre bûche sur le billot

F43. Je cherche un autre jouet

H16. Le monstre se traîne vers la porte – comme si on la voyait pas venir

H45. La bûche fend d'un seul coup

F43. Je vois pas d'autre jouet

H16. Je pense déjà à la punition que je vas lui donner

F43. Fais « DOUBLE FLÈCHE COMMANDE D » – LE REGARD DE DIEU

H16. Là si la petite passe proche, tu peux la battre. Pis pas obligé de prendre un objet. Une claque, du revers de la main – super simple

H45. Je place l'autre moitié sur le billot, avec mes mains de meurtrier

H16. Oublie pas d'enlever ton jonc de mariage. Ça laisse des marques

F43. Je vois un soldat de plomb – derrière le poêle. JE COURS

H45. La dernière bûche fend dans un bruit sec

H16. Faut que rien puisse nous condamner

F43. Je ramasse le soldat

H45. Je ramasse le bois

H16. Vite – le petit monstre va encore se sauver

F43. À ses pieds – dans le tas de cheveux – un dé en bois. JE COURS

H45. J'enfonce la hache dans le billot – je fais le tour de la maison – ouvre la porte d'un coup de pied

H16. Je finis ma mitaine

F43. Je ramasse le dé AVANT.

Cloche d'église.

F43. Je lui prends la main – je peux la prendre. ENFIN, JE TE TIENS

F8. S'il te plaît !

H45 et H16 se bouchent les oreilles.

F43. Il en est pas question

F8. *PLEASE*

F43. C'est non

F8. Toutes mes amies marchent – pourquoi moi je pourrais pas marcher ?

F43. Tes amies c'est tes amies et toi c'est toi

F8. POURQUOI J'AI PAS LE DROIT ?

F43. Premièrement, tu vas changer de ton. Deuxième-ment, on a convenu que si et seulement si ton frère t'accompagnait

F8. MAIS IL VEUT PAS

F43. Alors c'est moi qui vas te reconduire

F8. Mais je suis assez grande pour marcher jusqu'à l'école toute seule !

F43. C'est pas l'impression que tu me donnes

F8. SACRAMENT

F43. HEYE

F8. LÂCHE-MOI, MAUDITE FOLLE

F43. La gifle est partie toute seule, avec une force, une vitesse inouïes. Elle a pas pleuré. Elle a planté ses yeux dans les tiens, la joue en feu. Lentement, elle t'a souri – triomphante

H45 et H16 écoutent de nouveau.

H45. Je peux plus bouger

H16. Je peux juste regarder

F43. Je comprends pas

H16. Le fils a le choix entre « L'EAU DE VAISSELLE », « LA LESSIVE » ou « LE SAVON »

F43. Choisis pas

H16. C'est le fils qui l'a attrapée, c'est le fils qui la punit

F43. Non

H16. Il est obligé de la punir

F43, *à H16.* Si tu veux frapper quelqu'un, frappe sur moi

H16. C'est le monstre qu'il faut punir

F43, *à H16.* VEUX-TU ME DIRE CE QU'ELLE T'A FAIT POUR MÉRITER ÇA?

H16. Si elle s'était levée avant le troisième chant du coq, elle aurait pas passé en dessous de la table. Si elle avait pas passé en dessous de la table, elle aurait pas essayé de voler de la nourriture et popa lui aurait pas tapé sur les doigts. Si elle s'était pas sauvée, elle serait pas tombée dans les chardons, moman aurait pas été obligée de lui couper les cheveux. Si elle avait fait le ménage comme une bonne petite fille, son frère aurait pas à la punir. Si elle se fait punir, c'est parce qu'elle s'obstine. Si elle meurt, c'est parce qu'elle l'a décidé

F43. Non, c'est pas elle, c'est le site – c'est le jeu qui veut ça

H16, *à F43.* C'EST PAS UN JEU, C'EST UNE JOB. PIS SI T'EN VEUX PAS, BEN, M'AS LA PRENDRE, TA JOB. LA JOB DE BRAS QUE VOUS AVEZ JAMAIS VOULU FAIRE – VOTRE JOB. *(Au public.)* Il faut pas laisser de traces. Il faut pas non plus qu'elle meure sur le coup. L'eau de vaisselle, c'est genre *chill*, mais c'est pas un empoisonnement très efficace. La lessive, il faut lui donner à petites gorgées, sinon elle peut te mourir dans face. Le danger avec le savon, c'est qu'elle s'étouffe avec

H45, *à F43.* Donne, je vais m'en occuper

F43, *à H45.* Tu trouves pas que t'en as assez fait?

H45, *à F43.* Je vais finir ce que j'ai commencé

H16. C'est le fils qui doit la punir

F43. Dehors – au bout du champ, je vois quelqu'un. AU SECOURS – À L'AIDE

« LE CURÉ » passe : une ombre balaie la scène.

H16. C'est le curé. JE PARS À RIRE. QUAND JE RIS TOUT LE MONDE RIT

H45. Je me tape sur les cuisses

F43. Je ris – à m'arracher les côtes

H16. Le petit monstre – est morte de rire. Est obligée

F43. Le curé nous envoie la main – en souriant – continue son chemin, s'en va

H16. Vite – la punition.

F43. T'aurais pu la garder à la maison, l'envoyer dans sa chambre, lui faire prendre un bain, la remettre au lit, mais tu lui as dit : Monte immédiatement dans la voiture, ton père va aller te reconduire

H16. « L'EAU DE VAISSELLE », « LA LESSIVE » ou « LE SAVON »

F43. Clique

H16. Le savon – excellent choix

F43. La petite ferme les yeux – ouvre la bouche

H16. Une bouchée pour moman. Une bouchée pour popa. Une bouchée pour fiston. Exact – des petits morceaux. Je regarde le fils lui donner à manger. Écœurant

15.

H16 s'adresse directement à F43.

H16. Est-ce que tu t'es lavé les dents ?

F43. Oui moman.

H16. Est-ce que t'as dit ta prière ?

F43. Oui moman.

H16. Couche-toi, maintenant. Fais de beaux rêves.

F43. Moman ?

H16. Oui, mon chéri ?

F43. Est-ce que la petite va guérir ?

H16. C'est à Dieu de décider.

F43. Si je pouvais me couper un bras pour qu'elle guérisse, je me le couperais.

H16. Je t'aime, je suis ta mère et jamais je laisserai mon garçon se couper un bras pour qui que ce soit.

F43. Si j'étais sa mère, je ferais tout pour qu'elle vive. Si j'étais sa mère, je serais prête à sacrifier mon fils pour qu'elle reste en vie.

H16. Dors.

16.

H16 s'adresse directement à H45.

H16. Où tu vas ?

H45. Border la petite.

H16. Si elle se met à crier, le docteur va débarquer, le juge va nous condamner pis le bourreau va nous pendre devant tout le village.

H45. C'est tout ce qu'on mérite.

H16. Non. On a été des bons parents. On a fait notre devoir. Cette nuit, on va faire tout ce qu'on peut pour la sauver, mais on peut rien contre la maladie. Demain, Dieu va la rappeler à ses côtés. Toutes nos bonnes actions vont plaider en notre faveur. On va pouvoir enfin être ensemble. Tu vas pouvoir enfin vivre heureux – avec ta femme, ton fils. On va enfin être libres – sans elle. Viens te coucher.

17.

F43. La petite – réveille-toi. C'est moi – ton grand frère. Habille-toi, on s'en va voir le docteur. Fais ce que je te dis. C'est maman qui m'a demandé de t'emmener. Regarde. J'ai ta poupée. Lève-toi, maintenant. Aie pas peur. Je te ferai pas mal. Je suis là pour te protéger. Allez. Debout.

H45. Qu'est-ce que tu fais dans la chambre de la petite?

F43. Je suis venu lui dire bonne nuit.

H45. T'es supposé être couché depuis longtemps.

F43. J'arrivais pas à dormir.

H45. Retourne dans ta chambre.

F43. On allait dire notre prière.

H45. Donne-moi la main.

H45, F43. « *Je crois en Dieu, le Père tout-puissant, Créateur du ciel et de la terre. Et en Jésus-Christ, son Fils unique, notre Seigneur; qui a été conçu du Saint-Esprit, est né de la Vierge Marie, a souffert sous Ponce Pilate, a été crucifié, est mort et a été enseveli, est descendu aux enfers; le troisième jour est ressuscité des morts, est monté aux cieux, est assis à la droite de Dieu le Père tout-puissant, d'où il viendra juger les vivants et les morts. Je crois en l'Esprit saint, à la sainte Église catholique, à la communion des saints, à la rémission des péchés, à la résurrection de la chair, à la vie éternelle. Amen.* »

H45. Va te coucher maintenant.

F43. Pourquoi vous désabrillez la petite, popa?

H45. Obéis.

F43. Pourquoi vous la sortez de son lit? OÙ EST-CE QUE VOUS EMMENEZ LA PETITE?

18.

H16. Je sors de la chambre. Je vois le fils – le père. Il tient la petite dans ses bras. Il la dépose sur la table

F43. Le père prend quelque chose – au mur : de la corde

H16. Le père attache la petite

F43. POURQUOI?

H45. La petite a attiré notre fils dans son lit.

F43. JE SUIS SEULEMENT ALLÉ LUI DIRE BONNE NUIT.

H16. Tu peux pas la punir si elle a pas péché.

F43. Le père prend quelque chose – par terre : un fouet

H16. Si tu la bats, elle va crier.

F43. Le père prend le fouet

H16. FAIS PAS ÇA. LE DOCTEUR VA DÉBARQUER.

H45. Qu'il vienne.

H16. Ses plaies vont nous trahir.

H45. Me trahir.

H16. Je veux pas finir pendue au bout d'une corde.

F43. La mère retient le père par le bras

H45. Je pousse la mère par terre

F43. Je peux – je peux bouger. Je cours, je me jette sur le père

H45. Je soulève le fils par les cheveux – le jette contre le mur

F43. QU'EST-CE QU'ELLE A FAIT POUR MÉRITER ÇA ?

F8. EST FOLLE

H16 et F43 se bouchent les oreilles.

H45. On traite pas sa mère de folle

F8. MAIS EST FOLLE

H45. Veux-tu passer le restant de ta vie en punition ?

F8. Non

H45. Alors quand tu vas voir ta mère, tu vas t'excuser

F8. OK mais d'abord je veux plus qu'elle vienne me reconduire à l'école

H45. Quand tu vas rentrer ce soir, tu vas aller voir ta mère et tu vas t'excuser /d'avoir

F8. Papa, elle vient pas juste me reconduire à l'école, elle vient me porter jusque dans la cour de récréation

H45. Je suis sûr qu'elle est pas la seule mère à accompagner / sa fille

F8. Y a des matins où elle me suit jusque dans classe! Y a même des fois elle m'embrasse devant tout le monde pis toute la classe fait des bruits de bec quand elle s'en va! QUOI – POURQUOI TU RIS?

H45. Je ris pas

F8. OUI, tu ris

H45. Mon Dieu

F8. QUOI, « mon Dieu »?

H45. Rien

F8. Tu dis toujours ça. Je peux-tu marcher le dernier coin de rue jusqu'à l'école, là?

H45. Tu l'as regardée

F8. *Please.*

H16 et F43 entendent de nouveau.

H45. Lentement, t'as arrêté la voiture. Elle a défait la ceinture de sécurité. Elle a ouvert la portière. Tu l'as regardée descendre. Tu l'as regardée marcher jusqu'au coin de la rue, de plus en plus petite dans le rétroviseur. Tu l'as regardée traverser la rue, minuscule. Tu l'as vue t'envoyer la main, triomphante. Mais t'as pas vu – l'accident. Tu le sais. Tout le monde le sait. C'était pas un accident. C'est toi qui l'as tuée. Toi et personne d'autre.

19.

Hennissement d'un cheval.

H45. Je dépose son corps sous l'escalier

H16. Le monstre – une plaie sur le plancher

F43. Elle respire encore

H16. Au bout du champ : un paroissien – à cheval – le docteur. Il vient vers la maison. *FUCK*

H45 s'assoit à table.

H45. Je suis là – je bouge pas

H16. Son cheval cale dans la neige. Il reste un peu de temps. Pense vite

F43. La petite tourne la tête

H16. Fais ton devoir pis toute va ben aller

F43. Elle étire le bras

H16. Sa poupée de paille – elle la tire par le pied – en tremblant. Le feu – EXACT. Il faut le rallumer. Qui l'a laissé s'éteindre ? Qui devait s'en occuper ? Astheure, avec quoi on va le rallumer ?

Hennissement d'un cheval.

F43. La petite serre sa poupée

H16. Passe-moi-la, m'as te la r'mettre !

F43. La mère traîne la petite jusqu'au poêle

H16. Ça s'peut-tu être égoïste de même !

F43. La petite s'accroche de toutes ses forces

H16. Tu veux y aller avec ? Excellente idée. On va t'être ben débarrassés

F43. La mère tire la poupée, traîne la petite vers le poêle et je le fais, je cours. Je peux courir. Je me jette sur la mère. Je lui mords le bras

H16. J'échappe la poupée

F43. Je ramasse la poupée – je cours

H16. Petit verrat !

F43. Je cours vers le poêle – JETTE LA POUPÉE DANS LE FEU.

Hennissement d'un cheval.

20.

F43, *à H16*. C'EST MOI QUI AI REPARTI LE FEU, C'EST MOI QUI LA PUNIS. Toi tu peux plus bouger. Tu peux juste regarder

H16. Le fils est obligé de choisir entre lui mettre les mains « SUR LE POÊLE », « DANS LA TORDEUSE À LINGE » ou « DANS LE GRILLE-PAIN »

F43. JE LUI PRENDS LES POIGNETS. Je la tiens par-derrière. Le poêle fume – la poupée a commencé à brûler. Je la fais marcher jusqu'au poêle et je l'oblige à tenir ses mains au-dessus du rond. La chaleur lui pique les doigts – nos doigts

H16, *à F43*. TU PEUX PAS TE PUNIR / À SA PLACE

F43. JE PLONGE SES MAINS DANS LE POÊLE. J'approche ses mains des flammes. Je l'oblige à prendre la poupée en feu – dans le poêle. Je me retourne vers la mère – avec la petite – qui tient la poupée. Je l'oblige à marcher vers sa mère, la poupée en feu

H16, *à F43*. TU PEUX PAS

F43. C'EST MOI QUI PUNIS. C'est moi qui décide. Je la pousse dans les bras de sa mère. Je l'oblige à se réconcilier avec elle, à lui demander pardon, à la serrer fort contre elle – pardon, maman, pardon. Mais sa mère réagit pas

H16, *à F43*. *FUCK YOU*

F43. ELLE DIT RIEN. Elle reste là. L'air ailleurs. Insensible – à la douleur – du feu qui a pris dans le bas de sa robe

H16, *à F43*. Hostie de folle

F43. La mère bouge pas, même si les flammes montent, grimpent – lui mangent la face, LA DÉVORENT

H16, *au public. Game over* – t'es mort. Ferme l'écran de ton ordi – FORT

F43. LA MÈRE S'EFFONDRE

H16. Sors du garde-robe

F43. SES BRAS TOMBENT

H16. Sors de la chambre

F43. SA TÊTE ÉCLATE SUR LE PLANCHER. Le plancher se couvre de tisons. Les flammes grimpent sur les murs – roulent au plafond, encerclent la table, mais le père reste là, assis

H45, *au public.* Une phrase défile à l'écran

F43. Il dit rien

H45. « BONHOMME, BONHOMME ! VEUX-TU REJOUER ? »

F43. Il brûle sur place, les yeux vides

H45. Enfin, t'es mort. Sors du site

F43. Mais nous on court – on se sauve de la maison, qui s'écroule dans un vacarme de planches

Plateau vide.

F43. On tombe la face dans la neige – respire. J'entends le bruit étouffé de sabots – des bottes qui s'enfoncent, s'arrêtent. Je lève la tête – le docteur. La petite est sauvée. Respire, mon bébé. Respire

21.

H45. Tu fais le saut – la réceptionniste. Elle vient de dire quelque chose. « À lundi, Madeleine. » Tu l'entends s'éloigner – sortir. Tu fermes l'écran. Tu mets ton manteau. Tu sors – barres le bureau – marches dans le corridor. T'appelles l'ascenseur. Les portes s'ouvrent. Derrière toi, t'entends des pas. Tu laisses passer une jeune femme. Les portes de l'ascenseur se referment. La jeune femme te salue poliment – en souriant. Lentement, elle cesse de sourire. Elle sait. Elle le voit. Et maintenant la jeune femme te regarde plus parce que ça te sort par les yeux. Elle fait ce qu'elle peut pour disparaître pendant que ça te coule sur les joues. Elle s'accroche aux chiffres des étages qui s'éteignent – s'illuminent, pendant que ça craque de partout et que s'échappe de ton corps une plainte qu'il est trop tard pour retenir

H16. Ouvre la porte de ta chambre – d'un coup de pied – le soleil, bang dans face. Tu vois rien, y a trop de lumière. Quelqu'un a ouvert les rideaux. Tu fermes les rideaux. Tout ton linge est plié, rangé dans les tiroirs. Le lit est super bien fait. Ta chambre est super *clean.* Y a pas un papier à terre. Super freakant

H45. Stationne la voiture – à côté de la sienne. T'attends. T'hésites à sortir. T'hésites à entrer dans la maison. T'as peur de te répandre – entièrement. Fais comme d'habitude. Fais comme si. Coupe le moteur. Sors de la voiture. Monte les marches. Pousse la porte – est pas barrée. Jette les clés dans le petit panier, le petit panier en dessous de –. La photo – la photo de famille est pus là. T'entends du bruit – ça vient de la cuisine

H16. Ouvre la porte du frigo. Checke si y a de la bouffe. Tu freezeframes. Le bonhomme est là, dans un coin de la cuisine. Il bouge pas. Il dit rien, les yeux rouges. Il fixe quelque chose, derrière toi – dans la salle à manger

H45. Nathalie est là – elle met la table

H16. La folle – tu l'avais pas vue – est pas en robe de chambre. Elle bouge – normal

H45. Elle pose trois assiettes. Des couteaux, des fourchettes. Elle s'arrête – te voit – te sourit

H16. Son sourire

F43 sourit à H45 et H16.

F43. Vous avez passé une belle journée?

Noir final.

OUVRAGE RÉALISÉ PAR
LUC JACQUES, TYPOGRAPHE
ACHEVÉ D'IMPRIMER
EN OCTOBRE 2012
SUR LES PRESSES
DE MARQUIS IMPRIMEUR
POUR LE COMPTE DE
LEMÉAC ÉDITEUR, MONTRÉAL

DÉPÔT LÉGAL
1re ÉDITION : 4e TRIMESTRE 2012
(ÉD. 01 / IMP. 01)